율리아 귈름

# 우리 가족 만나볼래?

Who's Got My Tail

모든 가족은 다 달라요.
Every Family is different.

어떤 가족은 많이 모여 살아 떠들썩하고,

Some are big and loud,

어떤 가족은 식구가 적고 조용해요.
Some are small and quiet.

서로 똑 닮은 가족도 있고,
Some families look alike,

서로 닮지 않은 가족도 있어요.
and others don't.

어떤 가족은 규칙 정하는 것을 좋아하고,
Some families like rules,

어떤 가족은 장난하는 것을 좋아해요.
and others like to be silly.

엄마 아빠가 모두 있는 가족도 있고,

Some families have a mama and a papa,

그렇지 않은 가족도 있어요.
and others don't.

어떤 가족은 서로 가까이 살고,

There are families who live close together,

어떤 가족은 멀리 떨어져 살아요.
And those who live far apart.

하지만 모든 가족은 똑같은 게 있어요. 그것은 바로…
But every kind of family has something in common…

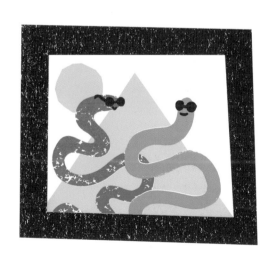

서로를 너무너무 사랑한다는 거예요!
They all love each other very much!